羅大頭 數學冒險

進階1

羅阿牛工作室 ◎ 著

中華教育

責任編輯　葉楚溶
裝幀設計　鄧佩儀
排　　版　陳美連
印　　務　劉漢舉

羅阿牛工作室 ◎ 著

出版｜中華教育

香港北角英皇道 499 號北角工業大廈 1 樓 B 室

電話：(852) 2137 2338　傳真：(852) 2713 8202

電子郵件：info@chunghwabook.com.hk

網址：http://www.chunghwabook.com.hk

發行｜香港聯合書刊物流有限公司

香港新界荃灣德士古道 220-248 號荃灣工業中心 16 樓

電話：(852) 2150 2100　傳真：(852)2407 3062

電子郵件：info@suplogistics.com.hk

印刷｜泰業印刷有限公司

香港新界大埔工業邨大貴街 11 至 13 號

版次｜2024 年 3 月第 1 版第 1 次印刷

©2024 中華教育

規格｜16 開（235mm x 170mm）

ISBN｜978-988-8861-43-9

羅大頭

性格　遇事沉着冷靜，善於思考，對事情有獨到的見解。

數學能力　對研究數學問題有極大的興趣和熱情，有較高的數學天賦。

朱栗

性格　文科教授的孫女，心思細膩，喜好詩詞，出口成章。和很多的女孩子一樣，害怕蟲子，愛美。

數學能力　對數學也十分感興趣，能夠發現許多男生發現不了的東西。

李沖沖

性格　人如其名，性格衝動，熱心腸，樂於助人，喜愛各種美食。

數學能力　善於提出各種各樣的問題，研學路上的開心果。

阿柳博士

數學能力　萬能博士，有許多神奇的發明，是三個孩子研學路上的引路人，能在孩子們解決不了問題時從天而降，給予他們幫助，是孩子們成長的堅實後盾。

序言

　　大人們一般是通過閱讀文字來學習的，而小孩子則不然，他們還不能把文字轉化成情境和畫面，投映在頭腦中進行理解。因此，小孩子的學習需要情境。這也是小孩子愛看圖畫書，愛玩角色扮演遊戲（如過家家），愛聽故事的原因。

　　漫畫書是由情境到文字書之間的一種過渡，它既有文字書的便利，又有過家家這類情境遊戲的親切，解決了小孩子難以將大段文字轉化為情境理解的困難。因此，它深受孩子們的喜歡也是必然的。

　　羅阿牛（羅朝述）老師是我多年的好朋友，我很佩服他對於數學教育的執着。多年來，他勤於思考，樂於研究，在數學教育領域努力耕耘。他研究數學教學，研究數學特長生的培養，思考數學教育與學生品格的培養，並通過培訓、講學、編寫書籍，實踐自己的理想。尤其可貴的是，他在教學中不是緊盯着分數，而是重視孩子們思維的訓練和品德的養成。

　　這套書是他多年研究成果的又一結晶，書中將兒童的學習特點和數學的思維結合在一起，讓數學的思想、方法可視可見，讓學習數學不再困難。

任景業

全國小學數學教材編委（北師大版）

分享式教育教學倡導者

目錄

1. 稀奇古怪的計量單位

今天，阿柳博士準備邀請自己的好朋友們來實驗室做客，羅大頭三人負責接待。

我們準備好了！

來自13世紀的英國國王

小朋友，給我們來一打麵包！

先生，我們這裏沒有打麵包，只有普通麵包。

小朋友，你真可愛呀！我要的是「一打麵包」，不是打麵包！

人們通常把 12 罐飲料也叫一打飲料，他該不會是要 12 個麵包吧？

小朋友，你知道嗎？如果你身處13世紀的英國，你給我12個麵包可是會被懲罰的喲！

為甚麼啊？

因為在13世紀的英國，如果麵包師被發現欺騙顧客，少拿麵包，他就會受到非常嚴厲的懲罰，麵包師為了自己着想會多拿一個，所以一打麵包就有13個。

懲罰！！

好可怕⋯⋯

13世紀的英國好可怕⋯⋯

悄悄～

來自數學世界的曼斯女士

小朋友，你們世界的辣椒太辣了，有沒有 100 史高維爾的辣椒？

我們只有小米椒、朝天椒，沒有史高維爾辣椒呀！

哈哈哈，「史高維爾」和「一打」一樣，也是一個計量單位哦！

辣椒不是用個或隻表示嗎？

這些計量單位都是人類發明的，我來跟你們詳細說說。

數學世界的計量單位怎麼這麼奇怪呀？

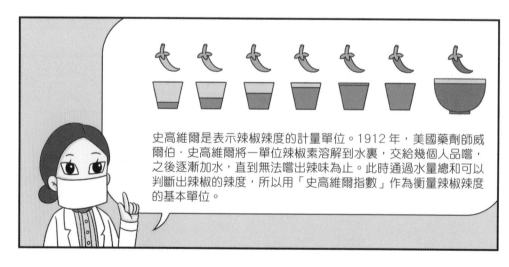

史高維爾是表示辣椒辣度的計量單位。1912 年，美國藥劑師威爾伯·史高維爾將一單位辣椒素溶解到水裏，交給幾個人品嚐，之後逐漸加水，直到無法嚐出辣味為止。此時通過水量總和可以判斷出辣椒的辣度，所以用「史高維爾指數」作為衡量辣椒辣度的基本單位。

你們猜猜這是甚麼？

鬍子呀！難道它也是一個計量單位？

痛！

不完全對。

有一種長度單位叫作「鬍子秒」。曾有科學家開玩笑說希望能夠有一種計量單位可以表述極微小的數量，「鬍子秒」就此誕生。這一單位當時是指男性物理學家的鬍鬚平均每秒能長出的長度。1鬍子秒大約等於5納米。（注：10億納米等於1米。）

這些可真有意思。

這個還不是最有意思的呢！你們知道人長得很好看怎麼打分嗎？

10分吧，不是有「十分美麗」一說嗎？

這個是你們中國人的說法，在古希臘可不一樣。古希臘是把「毫海倫」作為美麗的計量單位。

在古希臘神話裏有個非常美貌的王后叫海倫，古希臘人曾為了她出動 1000 艘戰艦去打特洛伊。後來有人依此把海倫的美麗定量成 1000，而把它的單位叫作「毫海倫」。值得出動 1 艘戰艦來出征的美女，其美麗度就可以定義為 1 毫海倫。

嘩哦！

原來美貌也有單位啊，真是稀奇！

吃～

曼斯女士的美麗度也有 1 毫海倫啊！

值得出動 1 艘戰艦的女子，原來這麼美呀！

我應該也是值得出動 1 艘戰艦的啊！

你下輩子變美女吧！

人們在計量物體的時候，想過很多方法，我們所知道的米、公里、秒等都是國際上建立的統一單位。如果遇到不便實際測量的對象時，就會出現這些稀奇古怪的計量單位來了。

2. 嘩，大得嚇人的數
——古戈爾

老爺爺並沒有騙我們，確實有這麼大的數，它叫作「googol」。這個詞源於美國數學家愛德華·卡斯納的姪子米爾頓·西羅蒂，後來就被叫作「古戈爾」。

googol

古戈爾在生活中是一個非常大的數，整個地球上這麼多的沙粒數量還比它少得多！

嘩！大得太嚇人了！

但是它在自然數裏卻是一個小不點，不少遊戲中產生的數常超過古戈爾。比如在數學證明中被用到的最大的數是「格雷厄姆係數」，它比幾個古戈爾還要大。

那這麼大的數怎麼表示呢？

為了能又快又準確地讀寫數，我們常用四位分級法，即從個位起，每 4 個數位劃分為一級。就像這樣：個、十、百、千、萬、十萬、百萬、千萬，億……這樣劃分的個級、萬級、億級就叫作數級。

由於國際上很多國家並沒有萬這個名稱，他們使用的是三位分級法：第一級有個、十、百；第二級有千、十千、百千；第三級有百萬、十個百萬、百個百萬；第四級有十億、百億、千億。像個級、千級、百萬級、十億級這種分法已在國際上通用。

數級	...	億級				萬級				個級			
數位	...	千億位	百億位	十億位	億位	千萬位	百萬位	十萬位	萬位	千位	百位	十位	個位
計數單位	...	千億	百億	十億	億	千萬	百萬	十萬	萬	千	百	十	個

如： 11569324 —— 11 569 324

4800900000 —— 48 0090 0000

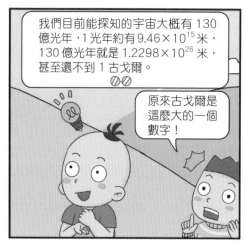

3. 小心！牆傾斜了！
——平行和垂直

你是誰呀？

我是魯班，這本書的主人。

魯班？你是春秋戰國時期發明鋸子的那個魯班？

沒錯！正是在下！

這是……比薩斜塔？

我們修的是花園圍牆……

牆可不是這樣修的，今天我來教教你們吧！

首先你們要明白牆為甚麼是直的。

因為每一面牆都是和地面垂直的！

對，只有牆面垂直於地面的時候，才能保證它不斜。

魯班爺爺，一面牆是由好多塊磚頭砌成的，我們如何砌磚頭才能保證牆面一直是垂直於地面的呢？

我們用一條線來規定砌放磚頭的位置不就好了嗎？

沒錯！只要有一條線是地面的垂線，沿着這條線砌磚，那麼牆就一定是與地面垂直的！

我這有兩個東西，一個是我發明的矩，也被稱為魯班尺，一個是石頭和線。

矩的兩邊都是直的，中間還有直角，那用這個吧！

怎麼不管用呢？還是歪的。

會不會是我們選錯工具了？

魯班爺爺，為甚麼我們用了工具，牆還是傾斜了呢？

是你們使用的方法不對。要想知道這兩個工具怎麼用，你們得跟着我完成一個小任務。

沒問題！

這裏住着一個狡猾財主，他想修一座小樓。他在招工啟事上寫着他願意出比平均工價多三倍的工錢修座小樓，但工匠必須幫他解決一個問題，否則他只付工錢的十分之一。

他要求工匠們在 30 分鐘的時間內，從河裏打水，把小樓前面的魚池裝滿。可是從河邊沿着這條小路到魚池最快也要 20 分鐘。

那來回一次最快也要 40 分鐘，30 分鐘時間根本就不夠呀！

這個財主真是太狡猾了！

真的沒辦法了嗎？

魯班爺爺，到底怎麼解決呀？

我相信你們一定可以想出辦法的。

B 點

A 點

從草叢裏面走過去就好了！從 B 點打水，這裏的距離最近。

從這裏過去，這一條路是垂直於河邊的。老師說過：從直線外一點向直線所畫的線段中，垂線段最短！

小朋友們真聰明呀！我當初也是這麼做的，最後所有工匠在不到 30 分鐘的時間內就把魚池的水裝滿了！

沒想到我們和魯班爺爺想的辦法一樣！

很早以前人們就發現了垂直的特點，我也據此發明了數學工具——矩。

原來矩是這麼來的呀！

你們看，那條細線是不是和魯班爺爺給我們的繩子一樣呀？

原來石頭是墜在下面的呀！咦？矩原來是放在牆角用的！

為甚麼這樣牆面和地面就是垂直的呢？

因為重力的關係，這條細線一定會和地面垂直，所以只要牆面一直和細線平行，那麼牆面就一定是垂直於地面的。工匠們在砌牆的時候都會採用這樣的方法來觀察牆壁有沒有傾斜。

4. 速算法寶──運算定律

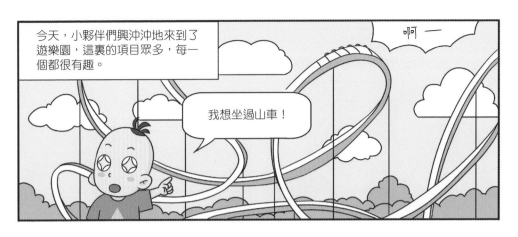

今天，小夥伴們興沖沖地來到了遊樂園，這裏的項目眾多，每一個都很有趣。

啊一

我想坐過山車！

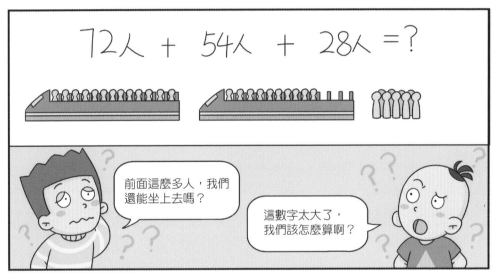

72人 + 54人 + 28人 =？

前面這麼多人，我們還能坐上去嗎？

這數字太大了，我們該怎麼算啊？

你們看，72 和 28 的感情很好，它們可以先加在一起。

72 + 28 = 100

再把 54 加上去，是不是就變簡單了很多。

100 + 54 = 154

嘩！這是怎麼一回事啊？

之前我們學過「朝三暮四」這個成語，你們應該還記得這個故事吧？

嗯嗯！

在加法運算中，交換加數位置，結果不變。你們可以將能湊成整十整百的數先算出來，最後再加剩下的數，這就是加法的交換律和結合律。

原來如此！

我想玩氣球射擊！

| 11 | 12 | 13 | 14 | 15 | 16 | 17 |
| 19 | 20 | 21 | 22 | 23 | 24 | 25 |

遊戲規則：編號越大的氣球越難命中，分數＝氣球的編號 × 命中次數 × 剩餘子彈數。

這個該怎麼算啊？

$$25 \times 9 \times 4$$

這裏也可以運用和加法交換律與結合律相似的辦法，將能使積為整十整百的數交換結合到一起先乘，再乘以剩下的數。

25×4＝100，再用 100 來乘以 9，那不就是很簡單了！

所以最後所得的分數是 100×9＝900（分）！這就是用的乘法交換律和結合律啦！

復活節兔子搶蛋

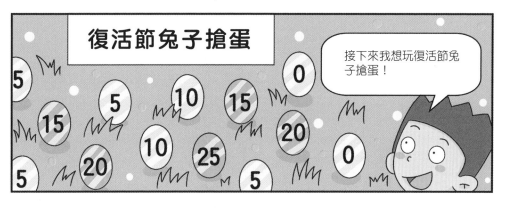

接下來我想玩復活節兔子搶蛋！

我們這樣分不出勝負呀……

我們搶得的蛋數和蛋上的分數都不一樣，怎麼會變成不分勝負？

不要着急，請看算式，你們就知道是怎麼回事了。

$$10 \times 2 + 15 \times 2 = (10 + 15) \times 2$$
$$= 25 \times 2$$
$$= 50$$

10 乘以 2，15 也乘以 2，把公共乘數 2 提出來。你們看，這個 10 和 15 就像一對親密的姐弟，在第二個式子裏我將它們用括號放在一起，就變成了（10+15），而到第三個式子出現了 25，這就是它們的寶寶。

乘法結婚律！

這是乘法分配律，兩個數相加的和或相減的差再乘以另一個數，等於兩個加數或被減數和減數分別乘以另一個數，再把積相加或相減。比如：$a \times b + a \times c = a \times (b+c)$。

根據計算結果，你們三人並列第一名！

是棉花糖呢！

我們來總結一下，第一：加法的交換律和結合律，乘法的交換律和結合律以及乘法分配律常被稱為「五大基本運算定律」，在數學發展的過程中，是不允許違背的。

第二：靈活運用這些定律，可以使計算過程變得更快、更準、更簡潔，它們是我們進行速算的法寶！

湊整、湊整，巧算根本；
移位、結合，算法靈活；
提出公共乘數，算得簡單迅速！

5. 琴技大比拼 ——
格子乘法和交叉乘法

這當然是世上最厲害的格子乘法!

明明是我的交叉乘法最厲害!

那你們再比試比試。

好,那我們再來比試一次,你們就是評委!

你們各自所用乘法的厲害之處是甚麼呀?

這個陣法代表 74×36。這個田字格就是我的琴,上面的斜線就是琴弦。74 跟 36 分別寫在上方和右邊,一個數字佔一格。

被乘數 → 7　4

乘數 ↓

積

2 1
　1　2
2 3

4 2
　2　4
6 6

6 4

7×3＝21，將 2 寫在 7 與 3 交叉格內斜線的上方，1 寫在斜線的下方，那麼這根琴弦就被撥動了。4×3、7×6、4×6 所得的積，也都照這樣寫。最後，把各斜行的數相加寫在左邊和下邊。

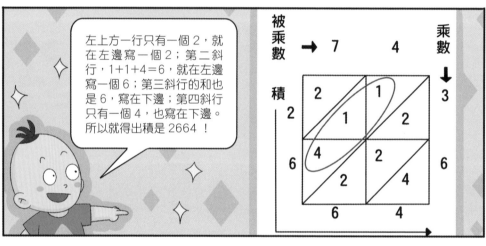

左上方一行只有一個 2，就在左邊寫一個 2；第二斜行，1＋1＋4＝6，就在左邊寫一個 6；第三斜行的和也是 6，寫在下邊；第四斜行只有一個 4，也寫在下邊。所以就得出積是 2664 ！

只要算出結果，那麼這一首樂曲也就彈完了。

沒錯，當我與他對琴的時候，數字小人就會披上戰甲上陣殺敵；當我一個人彈琴的時候，它們就會變成跳舞的小人。

那空中的這些小人，就是你琴弦上帶的數字呀？

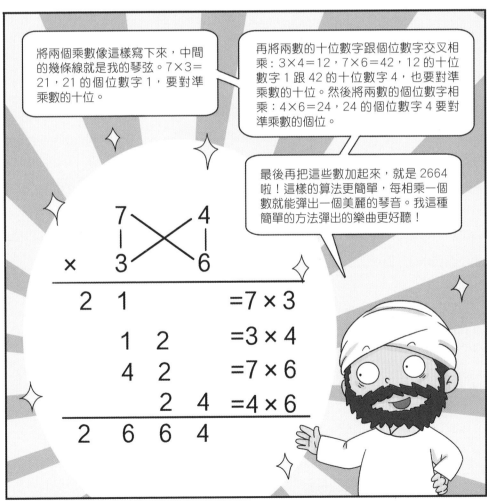

33

他們兩個的樂曲都很好呀，各有各的特點！

對呀。

格子乘法和交叉乘法誕生於兩個不同的國家，它們都有各自的優點。我們國家給格子乘法取名叫作鋪地錦，我們現在常用的豎式乘法則是由交叉乘法變化而來。

你們的方法各有千秋，對以後的乘法發展都有重要的意義呀！

的確，我們沒有必要爭個高低，過去這幾百年，我們竟然還沒有這幾個小朋友明白。

是呀！我們一起再彈一首樂曲吧！

6. 鏡子空間 ——
美妙絕倫的回文

外星人一定非常有智慧吧！

外星人有甚麼了不起的！我李沖沖就不一定比他們差！

你們這些人類是看不起我們嗎？

你們既然這麼聰明，那就去鏡子空間裏待着吧！解不開謎題就別想出來了！

出現

一個旋渦把羅大頭等人捲進了一個奇怪的空間。

啊！

咦？我們這是在哪兒啊？

霧鎖山頭 ＿＿＿＿＿ ，
天接水尾 ＿＿＿＿＿ 。

霧鎖山頭山鎖霧，
天接水尾水接天！

門開了？
答對了！

12 ×＿＿＿ =132 ×＿＿＿（積是多少？）
12 ×＿＿＿ =2304 ×＿＿＿（積是多少？）

阿柳博士，這是
甚麼意思呀？

怎麼又是一
道門啊！

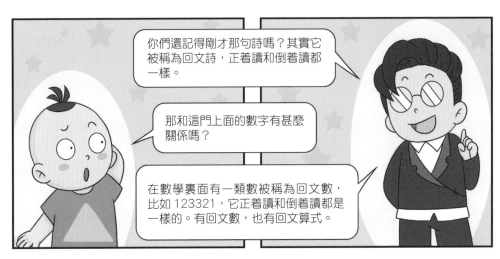

你們還記得剛才那句詩嗎？其實它
被稱為回文詩，正着讀和倒着讀都
一樣。

那和這門上面的數字有甚麼
關係嗎？

在數學裏面有一類數被稱為回文數，
比如 123321，它正着讀和倒着讀都是
一樣的。有回文數，也有回文算式。

41

你們看，1、121、12321，它們依次增加一個數，達到最大數後又依次減少一個數。所以後面的答案也是這種規律！

其實這種回文數又稱為「1 的金字塔」。

$1111^2 = 1234321$
$11111^2 = 123454321$
$111111^2 = 12345654321$

像過山車

唰啦 —— 所有的鏡子突然都消失了，孩子們睜開眼睛，他們已經回到了現實世界。

智過鏡子空間，成功！

你們居然真的出來了！我還以為你們只是狂妄自大呢，沒想到竟有真才實學。

有些傢伙就算有真才實學也要謙虛一些！

嘿嘿嘿。

7. 峇里島快樂遊 ——
平均數及其應用

阿柳博士带着羅大頭幾人去峇里島玩，在船上，大家得知有9個平均年齡8歲的當地朋友在岸邊迎接他們。

我猜一定是峇里島小學的小朋友來迎接我們！

太好了，那我們可以和不少同齡人做朋友！

是呀！我現在就好期待啊！

可剛上岸，大家都呆住了，只見一個中年阿姨帶着8個小孩等在岸邊。一問才知道，阿姨45歲，其餘是3歲、4歲、3歲、4歲、1歲、4歲、4歲、4歲的8個小孩。

歡迎！

不是說他們平均年齡8歲嗎？怎麼最小的才1歲？這不是剛從媽媽肚子裏跳出來不久。

（45＋3＋4＋3＋4＋1＋4＋4＋4）÷9＝8（歲），阿姨和所有小朋友的平均年齡為8歲，沒錯呀。

這麼一羣小不點怎麼陪我們玩呀？是我們陪他們玩吧！

峇里島可好玩了！有沙灘、大海，還有各種商場，我們的小朋友雖然小，也可以當導遊呀！

我可是游泳小王子，一定要到海裏游兩圈。

為了你們的安全，千萬不能下海游泳！這裏有游泳館，一會兒去游泳館你想怎麼游都可以！

好的！

沒錯，我們這裏有普通游泳池，也有仿真游泳池，就像在河裏、海裏游泳一樣，修建得很逼真，而且很安全！

好大啊！

我和羅大頭比賽，你給我們當裁判吧！

你不是不會游泳嗎？

我已經學會了！

我們給哥哥加油！哥哥最棒！

好，你們就在旁邊給我加油吧！

甚麼是平均深度呢？

平均就是表示一組數據集中趨勢的數，是指在一組數據中所有數據之和再除以這組數據的個數。

比如，指示牌上寫的平均深度1.2米，那麼它深的地方就比1.2米要大，淺的地方比1.2米要小，所有的測量深度的總和除以測量的次數就等於平均深度了。

我明白了，小朋友們和阿姨的平均年齡是8歲，而我們卻以為所有小朋友都是8歲。

原來是這樣呀！那你們就在同一個泳池裏比賽吧！

好。

羅大頭和李沖沖的比賽正式開始。

加油！加油！哥哥加油！

比賽結束後，阿柳博士帶羅大頭三人各出相同的錢去買峇里島的特產——木雕。羅大頭、朱栗、李沖沖分別比阿柳博士多買了 3、7、14 個。

好多木雕啊！

我計算了一下，我應該補給阿柳博士 14 元。

怎樣計算的？我怎麼算不出來。

剛開始我們都出了一樣多的錢，那我們就應該擁有同樣多的木雕才對呀！

那你有甚麼好方法呢？

把實際情況列成下表：

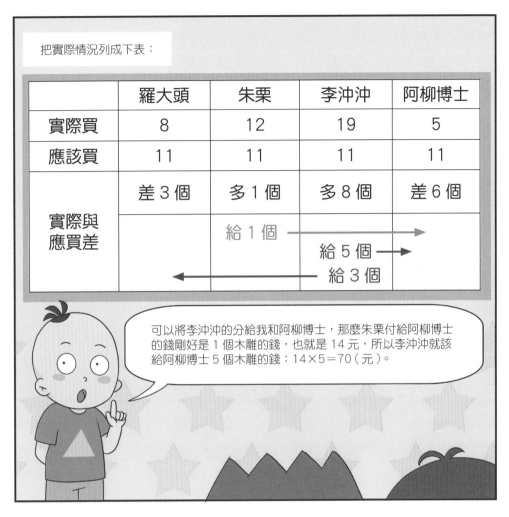

	羅大頭	朱栗	李沖沖	阿柳博士
實際買	8	12	19	5
應該買	11	11	11	11
實際與應買差	差 3 個	多 1 個	多 8 個	差 6 個
		給 1 個 →		
			給 5 個 →	
	←		給 3 個	

可以將李沖沖的分給我和阿柳博士，那麼朱栗付給阿柳博士的錢剛好是 1 個木雕的錢，也就是 14 元，所以李沖沖就該給阿柳博士 5 個木雕的錢：14×5＝70（元）。

沒錯，羅大頭的方法很好，而且羅大頭的方法就是平均數裏最形象的移多補少法。

這個方法真好，我一眼就看懂了！

8. 拯救三勇士 ——
抽屉原理

阿柳博士帶着羅大頭三人穿越到古代的齊國旅遊,正欣賞着美景,羅大頭突然看見花園裏倒着三個穿着鎧甲的人。

那裏有三個人倒下了!

發生了甚麼事呀?

怎麼都叫不醒他們。

阿柳博士,我們可以穿越到事情發生前,看看到底發生了甚麼嗎?

可以。

這有兩個桃子,只能由你們三人中功勞最大的兩個人吃!

我的功勞並不比他們小,大王將桃子給了他們兩人,就是認為他們的功勞比我的大,我還有甚麼臉活着呢?

假如這裏有 4 個桃子，3 個人能怎麼分呢？

可是多了一個桃子呀！

沒錯，3 個人吃 4 個桃子，要吃完又不許把桃子切開分，那麼必定有一個人要吃兩個桃子。

真的沒有其他的可能了？

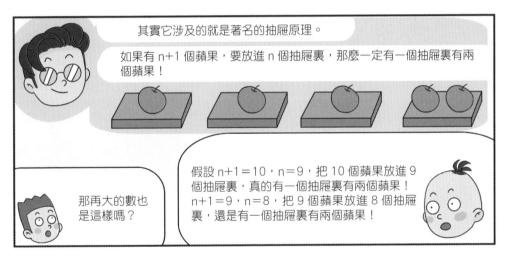

其實它涉及的就是著名的抽屜原理。

如果有 n+1 個蘋果，要放進 n 個抽屜裏，那麼一定有一個抽屜裏有兩個蘋果！

那再大的數也是這樣嗎？

假設 n+1＝10，n＝9，把 10 個蘋果放進 9 個抽屜裏，真的有一個抽屜裏有兩個蘋果！n+1＝9，n＝8，把 9 個蘋果放進 8 個抽屜裏，還是有一個抽屜裏有兩個蘋果！

就以人的頭髮舉例吧！科學研究表明，人的頭髮不超過 20 萬根。你們知道我們城市裏大概有多少人的頭髮根數相同嗎？

你們認為頭髮最少是多少根呢？

那怎麼能知道？我們又不能一根一根地數。

我知道！是 0 根！因為光頭強都沒有頭髮呀！而且三毛的頭髮還只有 3 根呢！

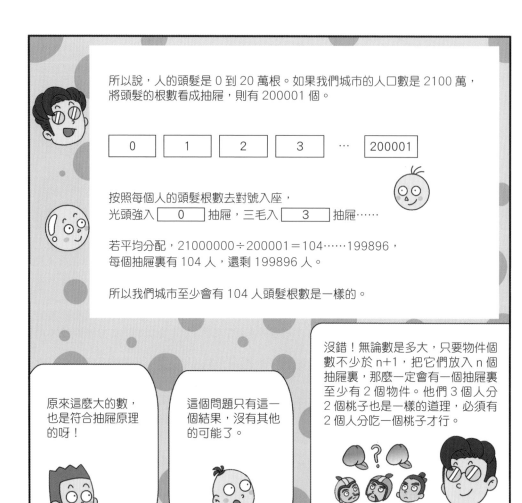

所以說，人的頭髮是 0 到 20 萬根。如果我們城市的人口數是 2100 萬，將頭髮的根數看成抽屜，則有 200001 個。

| 0 | 1 | 2 | 3 | … | 200001 |

按照每個人的頭髮根數去對號入座，
光頭強入 ⬚0⬚ 抽屜，三毛入 ⬚3⬚ 抽屜……

若平均分配，21000000÷200001＝104……199896，
每個抽屜裏有 104 人，還剩 199896 人。

所以我們城市至少會有 104 人頭髮根數是一樣的。

原來這麼大的數，也是符合抽屜原理的呀！

這個問題只有這一個結果，沒有其他的可能了。

沒錯！無論數是多大，只要物件個數不少於 n+1，把它們放入 n 個抽屜裏，那麼一定會有一個抽屜裏至少有 2 個物件。他們 3 個人分 2 個桃子也是一樣的道理，必須有 2 個人分吃一個桃子才行。

我們的功勞都不是最小的，分吃一個桃子會讓我們很恥辱。

那你們先把各自的功勞都說出來，我們來評定你們功勞的大小。

等一下！

你們三人的功勞都很高，齊國有你們是我的福分，再拿一個桃子，你們一人一個！

謝大王！

太好了，我們改寫了二桃殺三士的結局！

他們三個人誰也不會因為羞愧而自殺了。

我們也可以安心地回去啦！

抽屜原理在日常生活、科學研究中應用十分廣泛，人們非常喜歡它，還給它取了好多有趣的名字，如「鞋盒原理」、「鴿巢原理」…… 由於德國大數學家狄利克雷是最早認真而又系統地研究過它及其應用的人，人們又把它叫作狄利克雷原理。

9. 黑洞傳奇

今天我帶你們去宇宙深處逛逛好不好？

嘩，太好了！我們早就想看看天外天是甚麼景象了！

嘩！好快哦！

糟糕！正前方甚麼都看不見了！我們的飛船已經失去控制，正在往前衝……

我們大概是遇到了黑洞！若完全被黑洞控制，我們就再也回不到地球了。現在只能請時光穿梭機來幫忙扭轉局面了！

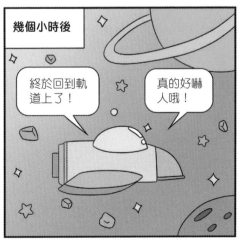

幾個小時後

終於回到軌道上了！

真的好嚇人哦！

黑洞是一個怪異的天體,它有着巨大的質量,產生着超強的引力,連光都能被它吸引,所以,我們很難看見它。與牛頓、愛因斯坦齊名的科學家霍金就是研究黑洞的專家。

其實在數學中,我們也會發現類似於黑洞的東西,也非常神奇!

阿柳博士,您能給我們介紹幾個數學中的黑洞嗎,我們好想知道。

那接下來就給你們介紹幾個數學黑洞吧!

首先是 123 黑洞。下面是著名的魯道夫數:
3.141 592 653 589 793 238 462 643 383 279 502 88
這個數中的偶數(雙數)有 17 個,奇數(單數)有 19 個,一共 36 個數字,依次連接成六位數 171936;此數中,偶數有 1 個,奇數有 5 個,共 6 個數字,依次連成三位數 156;此數中,偶數有 1 個,奇數有 2 個,共有數字 3 個,依次連成 123。照此規律推論,之後再也逃不出這個 123,會成為「123 黑洞」。

這個黑洞又叫作「西西弗斯黑洞」。

最後真的逃不出 123 了！

奇	奇	奇	奇	奇	偶	偶數：1個
1	7	1	9	3	6	奇數：5個
						總共：6個

奇	奇	偶	偶數：1個
1	5	6	奇數：2個
			總共：3個

奇	偶	奇	偶數：1個
1	2	3	奇數：2個
			總共：3個

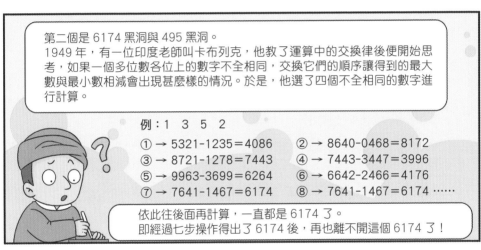

第二個是 6174 黑洞與 495 黑洞。
1949 年，有一位印度老師叫卡布列克，他教了運算中的交換律後便開始思考，如果一個多位數各位上的數字不全相同，交換它們的順序讓得到的最大數與最小數相減會出現甚麼樣的情況。於是，他選了四個不全相同的數字進行計算。

例：1 3 5 2

①→ 5321-1235＝4086　　②→ 8640-0468＝8172
③→ 8721-1278＝7443　　④→ 7443-3447＝3996
⑤→ 9963-3699＝6264　　⑥→ 6642-2466＝4176
⑦→ 7641-1467＝6174　　⑧→ 7641-1467＝6174 ⋯⋯

依此往後面再計算，一直都是 6174 了。
即經過七步操作得出了 6174 後，再也離不開這個 6174 了！

6174 就像黑洞一樣，把所有四位數（各位不全相同）按既定規則，都拉進了這個黑洞！

卡布列克後來又試了很多數，都是這樣的結果，經過最多七個步驟便會落入到 6174 這個黑洞。

好神奇哦！

6174

1975 年，卡布列克的這一發現傳到了美國，讓美國人感到非常神奇和吃驚。不少人經過約 9000 次的嘗試，確定了卡布列克的結論是完全正確的。從此，6174 成了一個著名的數學黑洞，也被人們叫作「卡布列克黑洞」。

卡布列克對三位數也進行了嘗試，結果得出了三位數的卡布列克黑洞：495。

最後再介紹一個 421 黑洞。

1976 年，美國《華盛頓郵報》刊登了耶魯大學教授、日本數學家角谷靜夫提出的一則遊戲：

任意選一個自然數（0 除外），如果它是一個偶數（雙數），就把它除以 2；如果它是一個奇數（單數），就把它乘以 3 再加上 1。

對所得的數仍按上述方式處理 ……

最後你會掉進一個 421 黑洞。

	×3+1		÷2		×3+1	
7	→	22	→	11	→	34
→	17	→	52	→	26	→
13	→	40	→	20	→	10
→	5	→	16	→	8	→
4	→	2				
↑		↓				
←	1	←				

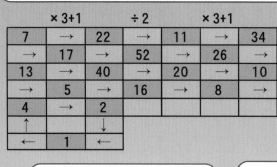

為甚麼會是這樣，讓人傷透了腦筋，沒有人能證明它肯定是對的，也沒有人能找出一個反例說明它是錯的。

現在，人們只好稱它是一個猜想，甚至還給它起了好多名字，如「角谷猜想」、「3n+1 猜想」、「敍拉古猜想」、「考拉茲猜想」……

數學黑洞真是神奇啊！

10. 巧開密碼鎖——
定義新運算

學校開展的讀書活動開始了，將要評選出最會讀書的小學生，三位小朋友都報名參加了。

我的書架上已經放滿了我看過的書！

我每讀完一本書，就會在布上用不同的顏色塗上一筆，現在這塊布都可以做一條美麗的裙子了！

我看過的書在家裏都擺滿一面牆了，我的書房就是一個小圖書館。

我決定獎勵你們一個禮物，你們自己打開密碼櫃去拿吧！

這麼複雜的密碼，怎麼可能猜得出來呢？

你們看，這個鎖的密碼是有提示的！看這個 $a*b$。

$a*b$

$a*b$

設定 a 和 b 表示整數 a、b（不包括 0），規定「 $*$ 」的運算如下：$a*b=a \div b \times 2+3 \times a-b$。第一個密碼為 $169*13$ 的答案。

1	2	3
4	5	6
7	8	9

我們把 169 當成 a，13 當成 b，很容易就計算出來了啊！

$169 \rightarrow a$

$13 \rightarrow b$

$a*b$ 其實就是用 a 除以 b 乘 2，然後再加上 a 的 3 倍，最後減去 b。

$a*b=a \div b \times 2+3 \times a-b$

這就是我們熟悉的四則運算，但我們一定要嚴格按照提示的順序計算！

根據運算「＊」的定義，得
169＊13＝169÷13×2+3×169-13
　　　　　＝520

520！
快輸入看看！

520！

孩子們，
我們一起說：
我愛你（520）！

哼哼，我們今天一定能把這櫃子給開了！

真棒！解開了我第一個密碼，不過後面的密碼難度升級了哦！

快看看第二個密碼!

用 $\{a\}$ 表示 a 的小數部分,$[a]$ 表示不超過 a 的最大整數,$a=2\times b+0.1$,算式中 b 取兩個值:$b_1=320$ 和 $b_2=47.3$,計算出 $\{a\}$、$[a]$ 就能知道密碼哦!

那兩個括號是甚麼意思啊?

我舉個例子吧:
$\{0.3\}=0.3$,
$[0.3]=0$,
$[4.5]=4$。
一個取小數部分,一個取整數部分!

那我們先整理兩個 a 的值吧。

把 $b_1=320$ 和 $b_2=47.3$ 分別代入 $a=2\times b+0.1$ 中:
$a_1=2\times320+0.1=640.1$;
$a_2=2\times47.3+0.1=94.7$。

然後加上括號，直接看這個數的整數部分和小數部分就好啦。

{94.7}＝0.7，[94.7]＝94。

{640.1}＝0.1，[640.1]＝640。

密碼和這些數字有甚麼關係呢？要不先把所有數都排列在一起看看？

把所有數字連起來是6401947，我們試一試這個密碼吧！

6401947。

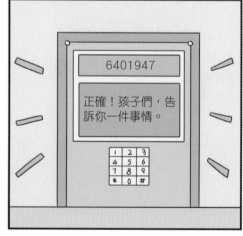

6401947

正確！孩子們，告訴你一件事情。

孩子們真棒！快加油解開最後一個密碼吧！裏面是給你們準備的驚喜！

驚喜！阿柳博士萬歲！

對於整數 a、b，規定「$*$」的運算如下：
$a*b=a \times b-a-b+1$，
如果 $3*a=2$，
那麼 $(2*a)*2=$ ？

我們按照已知條件推理吧。
$3*a=3 \times a-3-a+1=2$，$a=2$。

把 2 代入第二個算式，先算括號裏面的：
$2*a=2 \times a-2-a+1=a-1$。

那 $(2*a)*2=(a-1)*2$
$=(a-1) \times 2-(a-1)-2+1$
$=a-1-1$
$=a-2$，
也就是說最後簡化為 $a-2$。

簡簡單單的 0，會意味着甚麼呢？難道是沒有獎品？難道是前功盡棄、從頭開始？阿柳博士也太不夠意思了！

a 又等於 2，所以 2-2＝0，最後的結果是 0。真的能當密碼用嗎？

哎呀～

我們所學的知識只是浩瀚知識長河中的幾滴水，孩子們，加油啊！

三人對視，終於明白自己的知識很匱乏。

他們拿起自己喜歡的書，開始認真讀了起來。

11. 機械人 222 號

羅大頭！李沖沖！你們快過來幫忙啊！

好的，阿柳博士！

你們小心點。

阿柳博士，您這是弄了個甚麼東西回來，怎麼這麼大，這麼重啊？

這可是個好東西，等我們搬進了實驗室再說。

哈！這東西是我的新發明，我給它取名叫機械人 222 號。

阿柳博士，您這個 222 機械人有甚麼用啊？

71

哼哼，可別小看了這個機械人，它可是有大本事的。我給它設定了一個程序，只要你們輸入3個不同的數字，它就可以瞬間把由這3個數字組成的6個三位數的和告訴你們。

真的有這麼神奇嗎？讓我試一試！

博士，您這個機械人壞了吧？我按了後它沒有反應啊？

怎麼會？我看看！嗯……哦！我知道了！你沒有開機，怎麼會有反應？

機械人222號，竭誠為您服務，請輸入您的數字。

輸入9、7和6。

數字 9、7 和 6 組成 6 個三位數，它們的和是 4884。

222

這麼快？

976+967+769+796+697+679＝4884。
真的是 4884，這個機械人沒有算錯！

那肯定，我的新發明怎麼會出錯。

我也來試試，我要輸入的數字是 4、5 和 7。

那我輸入 2、7 和 3。

數字 2、7 和 3 組成 6 個三位數，它們的和是 2664。

222

數字 4、5 和 7 組成 6 個三位數，它們的和是 3552。

222

讓我來！我還要玩！

不行！你先自己計算出來再來玩，讓我先玩！

我先玩！

我先！

我先！

我先！

別吵了！你們誰先弄清楚機械人 222 號的運行機制，誰就能先玩。

哼！那一定是我先弄明白！

阿柳博士，我有一點點想法，但不知道正不正確。

那你先說說看。

我先拿數字之和是 10 的 3 個數字 1、2 和 7 來舉例，它們能構成的三位數是 127、172、217、271、712 和 721，我剛算了算它們相加的和是 2220。

例 1：1、2、7
$$127+172+217+271+712+721=2220$$

然後再看看其他數字之和是 10 的 3 個數字，比如 1、3 和 6，它們組成的 6 個三位數的和也是 2220。

例 2：1、3、6
$$136+163+316+361+613+631=2220$$

所以我就猜測，是不是所有 3 個數字之和是 10 的數字，它們組成的 6 個三位數之和都是 2220？阿柳博士，我可以用機械人 222 號驗證一下我的猜想嗎？

$$X+Y+Z=10$$

$$XYZ+XZY+YXZ+YZX+ZYX+ZXY$$
$$=200 \times (x+y+z)+20 \times (x+y+z)+2 \times (x+y+z)$$
$$=222 \times (x+y+z)$$
$$=2220$$

當然可以了。

輸入

太好了！阿柳博士，我的猜想是正確的！我還發現 2220÷10＝222，正好就是這個機械人的編號 222。所以我猜測這個機械人的運行機制就是用 222 去乘 3 個數字相加的和。

精彩的推斷！朱栗說的一點不錯！讓我們恭喜朱栗獲得機械人 222 號的優先使用權！

你怎麼這麼快就搞清楚了！阿柳博士，您快給我們講講為甚麼是用 222 去乘 3 個數字相加的和呀？

我剛剛不是才解釋了嗎……

12. 笛卡兒的蜘蛛網

找到啦！！

中醫濟萬家

(6,8)

(6,7)

這麼多藥材要多久才能找到啊？

藥方
人參 (10,9)
馬辛 (5,6)
丹皮

我已經知道如何快速抓藥了！

(5,13)
(6,13)
(6,12)
(7,13)
(6,11)
(7,12)
(8,13)
(6,12)

這有甚麼稀奇的，藥櫃上面的數字和門牌上的數字是一個作用，都是用來定位的，阿柳博士就是這樣抓藥的！

(10,12)　　(11,12)

(10,11)　　(11,11)

讚

下班啦！走，帶你們去玩！

(5,10)　　　(,9)

(5,9)　(7,9)　(8,9)

(5,8)

(5,7)

(5,6)　(8,6)

多大的蜘蛛才能結出這麼大的蜘蛛網啊？

79

有一天我生病在牀，突然發現一隻拉着絲垂下來的蜘蛛，過了一會兒牠又爬上去了，在上邊左右來回地織網。

然後我就想：若是把蜘蛛看成一個點，那麼把牠爬過的位置用數對來表示該多好！

於是我創立了直角坐標系。它是一個有公共原點的，由互相垂直的兩條數軸組成的定位系統，橫放的數軸叫作橫軸或 *x* 軸，豎放的數軸叫作縱軸或 *y* 軸。把平面上一個點的位置用它到兩條固定直線的距離來表示，這對數就叫這個點的坐標！

看！我們現在就踩在直角坐標系上啦！

笛卡兒先生，請您再給我們講講坐標吧。

好吧！

吐絲

在直角坐標系平面上隨便取一點，從這點向 x 軸作垂線，垂足在 x 軸上對應的數叫作這一點的橫坐標 x；從這點向 y 軸作垂線，垂足在 y 軸上對應的數叫作這點的縱坐標 y，有序數對 (x,y) 就叫作這點的坐標！

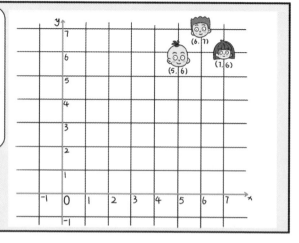

電影院的座位號就是這樣表示的！

坐標系不僅僅應用在電影院，也應用在我們教室裏，還有其他很多地方呢！

我們要飛到哪裏去呀？

這是我們用來導航定位的北斗衞星！它是一個 GPS，可以用來追蹤國寶大熊貓的足跡！

我可不止這點用途哦！除了為汽車行駛提供方位信息和導航信息外，我還能為救災提供通信保障，為各種軍事設備提供導航信息！基於坐標的原理，我無所不能！

坐標知識原來這麼有用啊！

我們再來練習一下。在教室地面上建立一個直角坐標系，並把自己的坐標告訴你的朋友，讓他能輕輕鬆鬆，毫不費勁地找到你。

好呀！

常用的定位系統除了直角坐標系外，還有極坐標系，極坐標系更像蜘蛛網呢！

我思，故我在！我遇到的一切，我都仔細研究，目的是從中引出有益的東西。

13. 神祕來客 ——
認識負數

晚上，羅大頭熟睡中。

拍～

拍～

ZZZ

甚麼人？咦，沒有人啊？

？！

昨天晚上我熟睡中，忽然！有人在我耳邊敲了敲！我起來這裏翻翻那裏找找，可是一個人影都沒看見……

害怕～

沒事～

拍～

嚇！

誰會在半夜去找羅大頭呢？肯定是小精靈吧！

擊掌～

我覺得應該是魔鬼！晚上想嚇一嚇羅大頭！

羅大頭，你為甚麼要倒着寫字啊？

你根本就在倒着寫字。

啊？我沒有啊！

到底是誰做的，我們跟着留下的線索去看看不就知道了。

是一條通往數學王國的階梯！

線索不是說在「逆向世界」嗎？

數學王國並不只有一個，在誕生之初，數學王國的國王其實是兩兄弟，一個管理正向世界，另一個管理我們今天要去的逆向世界。

逆向世界？

本來往上的梯子神奇地變成往下延伸了！

這裏就是逆向世界，也叫作負數王國。

甚麼是負數啊？

負數是在我們平時所學的正數的相反方向。

負數最早起源於中國，早在 1700 多年前，我國數學家劉徽在注解《九章算術》時，就明確提出了正、負數的概念：「今兩算得失相反，要令正負以名之。」這句話是說計算過程中遇到具有相反意義的量要用正數、負數來區分。

劉徽在計算工具算籌中規定「正算赤、負算黑」，就是紅色算籌表示正數，黑色算籌表示負數。

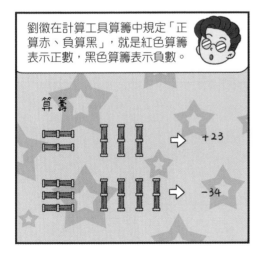

算籌

$\Rightarrow$ +23

$\Rightarrow$ -34

南宋數學家楊輝區分正、負數的方法是在正數後面加一個「正」字，在負數後面加一個「負」字。

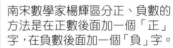

23 正
34 負

南宋另一位數學家李治是用「以斜正為異」來區分正、負數的。他在算籌的個位數上用斜畫一橫來表示負數。

那邊是一些印度人雕像！

古印度大數學家婆羅摩笈多在數字上標記小點或小圈來表示負數。

公元 7 世紀，他的著作《婆羅摩曆算書》中出現了負數，並且把正數稱為財產，負數稱為債務，還提出了負數的四種運算。

15 世紀，德國數學家米哈依爾·史提非在數學論文《整數算術》中把負數定義為比零小的數。

到 16 世紀，意大利數學家卡爾達諾所著的《大術》中，把 -3 記為 m:3，把 3 記為 p:3。

1629 年法國數學家吉拉爾第一個提出用減號「－」表示負數，從此，負數符號「－」逐漸被人們認識。

我們到了！

終於下完樓梯了!

昨晚找我的就是你們嗎?

你們終於來了!

你們怎麼和以前見過的數字不太一樣呢?大家身前都帶着一個「−」號。

我們是負數呀,我們剛出現的時候,西方數學界對我們還存在爭議呢,爭議長達幾百年!

連大數學家丟番圖都曾說方程負根是荒謬的東西。

還有德國數學家認為負數是無稽之談,是虛無的零下。法國數學家帕斯卡還認為從 0 減去 4 是胡言亂語。

我們覺得自己很沒用,但又十分羨慕正數能和你們一起玩耍,所以才出此下策。

負數，其實你們和正數是相輔相成的，沒有誰更厲害一說。

負數和正數一直都處在同一條軸上，你們看，將這個階梯拉直，是不是往前推為正數，往後推為負數？

-2　-1　0　1　2

還有我們平時生活中隱藏的正負數。羅大頭收到零花錢時可以稱之為正收入，而他為了買零食把錢花出去時可以稱之為負收入。

+10
-10

除此之外，你們還可以從溫度計上認識正負數。來，我們以零度為標準。

零度往上為正數，越往上越熱，往下為負數，越往下越冷。

40℃

啊！好熱哦！

-20℃

呼，好冷啊！

14. 闖禍的小數點──
小數乘法

親愛的小朋友們，今天是我的 46 歲生日，因此，我決定⋯⋯

決定甚麼？

決定讓你們和我在這個總長度 389 米的跑道上一起跑 11 圈鍛煉身體！

不行不行！跑 11 圈就要跑 389×11＝4279（米），會累死人的！

哎喲！你踩到我了，能高抬貴腳嗎？

對不起，小數點先生，我沒有看到你。你怎麼會在這裏呢？

聽說今天是阿柳博士的生日，我特地過來拜訪他，沒想到被你踩了一腳⋯⋯

小數點先生，你來得正好，快來幫幫孩子們跑 11 圈吧！

他能幫我們？

93

看我的神奇墨水！只要小數點先生沾了這個墨水，就能擁有化虛為實的能力。

神奇墨水

在這個算式 389×11＝4279 上試一試吧。

389 × 00

38.9 × 00 = 427.9

唰～唰～

跑道縮小了！

現在跑 11 圈只要 38.9×11＝427.9（米）了。總該可以和我一起鍛煉身體了吧？

小數點先生，你幫幫忙把跑道再縮小一點吧。

好……沒問題。

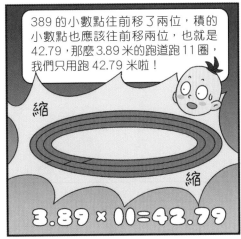

389 的小數點往前移了兩位，積的小數點也應該往前移兩位，也就是 42.79，那麼 3.89 米的跑道跑 11 圈，我們只用跑 42.79 米啦！

$3.89 \times 11 = 42.79$

還能變嗎？還能變嗎？如果是踩在 1 和 1 之間呢？

或者 0.11 呢？

可以跳到數字前面嗎？變成 0.389 會怎麼樣呢？

嘿！你們收斂點，別把小數點先生嚇跑了。

他們好可怕啊！

縮～ 4.6

完了 …… 小數點先生踩在了我年齡的 4 和 6 之間，把我變成了 4.6 歲的模樣。要趕緊讓他把我變回來！

對不起，阿柳博士，現在怎麼辦呀？

必須先讓小數點先生把墨水的力量還回來才行。

小數點先生去哪裏啦？

快！小數點先生會讓這個城市混亂起來的！

完了，完了……

縮～

已經完了……

大叔，請問您有看到一個小黑點跑過來嗎？

XXXXX

小黑點？哈哈！我正開着車送狗糧呢，突然聽到後備箱有聲音，就停車準備過去看，你們猜怎麼着？

14 × 2.8=39.2公斤   14 × 28=392公斤

XXXXX

發生甚麼事了？

我剛下車就看見一隻巨大的老鼠，「咻」的一下從我的車廂鑽出去了。我趕緊查看車廂，就發現狗糧不對勁。

你們看這一箱，它是四箱中唯一正常的。

14×28＝392公斤

這個箱子裏原本有28袋狗糧，現在卻只有3袋了！

空

準確地說，應該是 2.8 袋，有一袋小多了。現在這箱的重量就變成了 14×2.8，也就是 39.2 公斤。

這一箱，倒是給我留了28袋狗糧，但是你們量度一下這袋子的重量。

1 袋只有 1.4 公斤了，那麼這箱的重量是 1.4×28＝39.2（公斤）。

唉——最後一箱，可真是重災區了。

兩個乘數一共有兩位小數，它們的積也應該是兩位小數，所以這箱的重量 1.4×2.8＝3.92（公斤）。

小數點先生的破壞力也太強了吧！

拍

我最後看到他往前邊的拍賣行去了，你們快去找找吧。

一定要找到小數點先生，讓他把大叔的狗糧都恢復成原來的樣子！

我等你回來！

拍賣行

接下來要拍賣的物品是重量為 25 克的銀元，一共 75 枚。

恭喜這位小姐成功拍下 75 枚 25 克的銀元。

你們拍賣行是不是在詐騙？！

這明明只有 8 枚不到的銀元！重量也明顯不是 25 克啊！

明明是這家拍賣行詐騙！

女士，請您冷靜，我們之前確認過是沒問題的。

小數點先生！原來你在這裏啊！

2.5 × 7.5

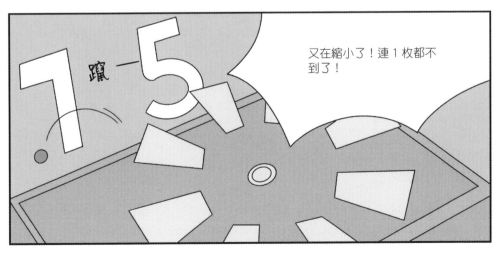

又在縮小了！連 1 枚都不到了！

躍

剛才拿到手的時候，有 7 枚加半個銀元，每一枚的重量應該是 2.5 克，總共重 2.5×7.5＝18.75（克）。

2.5 × 7.5

現在成了 0.75 枚銀元，重量也只有 0.25 克了。那這 0.75 枚銀元的重量就是 0.25×0.75＝1.875（克）了。

0.25 × 0.75

錯！它的乘數一共有 4 位小數，你怎麼只移了 3 位？

小數點後添 0，數字不變，那就變成 1.8750 克呀！

小數相乘的位數不夠移動時，就在數字的前邊添 0，結果是 0.1875 克。

$0.25 × 0.75 = 0.0875$

終於抓住你了！小數點先生！看看你都做了些甚麼好事！

15. 失落的小數點 ——
小數除法

呼！還是變大了更好。

對不起，阿柳博士。給您惹麻煩了，我現在就回去……

阿柳博士，小數點先生的樣子很失落，我有點擔心。

那我們想個辦法讓他重拾信心吧。

唉，都被我弄得一團糟了。

李沖沖怎麼在這裏？他們在吵甚麼呢？

唉，大叔，你怎麼回事啊？我們要的是能鋪滿這個面積是 75 平方米的屋子的地板呀！

是啊！我給你運了 5 塊面積是 15 平方米的地板，75÷15＝5，這不是正好嗎？

15 平方米的地板，連門都進不去啊……

反正你要的東西我給你送到了，我先走了。

李沖沖，你怎麼啦？

小數點先生，你來得正好，我正需要你的幫助啊！

我……我能怎麼幫你？

你看看那位大叔留給我的難題，比門都大的地板怎麼鋪啊？

算了，我也幫不上忙，我還是走吧……

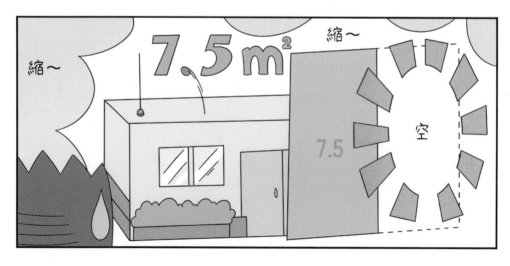

我做得怎麼樣？

你做得很好。不過我們還是先變回原型吧，再想想有沒有其他的變化方法。

這次試試改變地板的大小。

15

這個方法好啊！75÷1.5＝50，現在這些地板的面積變成了 1.5 平方米，而數量變成了 50 塊。

幫人幫到底，那我趕緊去幫你把房間鋪好吧！

哎，不急！你看天色這麼晚了，我就先送你回家吧？

那麼接下來，就到我們出場的時候了，我們去下個路口準備。

14.7 公升的牛奶，只用一個能裝 21 公升的桶就裝完了，再想想。

30L

那我把牛奶變成 1.47 公升就提得動啦！

不行！1.47 公升的牛奶不夠我們用的。

我們可以先把牛奶裝上車了再變回來呀，多輕鬆。

也可以變成每桶裝 2.1 公升，147÷2.1＝70。

2.0L

也就是把 147 公升的牛奶用 70 個能裝 2.1 公升的桶裝。

每桶牛奶會不會太多了，打開後喝不完容易變質的。

那就把每桶的容量再變小，變成每桶裝 0.21 公升，147÷0.21＝700，也就是把 147 公升的牛奶用能裝 0.21 公升的桶來裝 700 桶。

我就說小數點先生可以的！

叔叔，路上小心。

這個司機看起來怎麼這麼眼熟呢？

我準備好了生日蛋糕，我們一起回去吃吧。

我也可以留下來嗎？

剛剛你可是幫了我們大忙，當然要留下來和我們一起慶祝。

我們正好有 5 個人來分這個 21.5 立方分米的蛋糕，那麼一個人就吃 21.5÷5＝4.3（立方分米）吧。

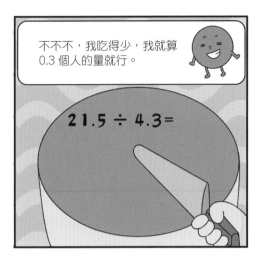

不不不，我吃得少，我就算0.3 個人的量就行。

$21.5 \div 4.3 =$

這個該怎麼算呢？除號兩邊都有小數點呀！

根據除法運算中的商不變規律就知道 $21.5 \div 4.3 = 5$ 了。

除號兩邊同時擴大（或縮小）為原來的幾倍（或幾分之一），商不變。
$21.5 \div 4.3 = 215 \div 43 = 5$，所以結果是 5。

多吃點，不要客氣哦！今天多虧小數點先生幫了我們很多忙呢！

謝謝你，小數點先生。

16. 賽馬賽出新邏輯

週末，小夥伴們來到馬場觀察馬匹的生活。

馬跑得真的好快哦！

點頭～

這些可不是普通的馬，牠們的祖先可是優秀的賽馬哦。

真的嗎？阿柳博士，能帶我們看看牠們的祖先嗎？

古時候齊國有一位愛好賽馬的大將軍叫田忌。

有一次，他與齊威王賽馬，同等級的馬中，齊威王的都要好於他的，他們約定：從自己三個等級的馬中各選一匹，逐對比賽，用三局兩勝法來定勝負。

是賽馬場！

第一場，田忌用下等馬對齊威王的上等馬，齊威王的馬遙遙領先，田忌輸了，但他不動聲色，一點都不着急。
第二場，田忌用上等馬對齊威王的中等馬，勝了第二場。
第三場，田忌用中等馬對齊威王的下等馬，勝了第三場。

下等馬 ——敗——→ 上等馬

上等馬 ——勝——→ 中等馬

中等馬 ——勝——→ 下等馬

田忌　　　　　　　　　　齊威王

嘩！難道田忌是個預言家嗎？他怎麼知道這樣會獲勝啊？

這就是著名的歷史故事——田忌賽馬，你們知道其中蘊含的數學道理嗎？

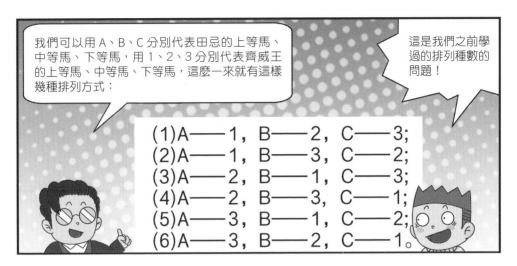

我們可以用 A、B、C 分別代表田忌的上等馬、中等馬、下等馬，用 1、2、3 分別代表齊威王的上等馬、中等馬、下等馬，這麼一來就有這樣幾種排列方式：

這是我們之前學過的排列種數的問題！

(1)A——1，B——2，C——3；
(2)A——1，B——3，C——2；
(3)A——2，B——1，C——3；
(4)A——2，B——3，C——1；
(5)A——3，B——1，C——2；
(6)A——3，B——2，C——1。

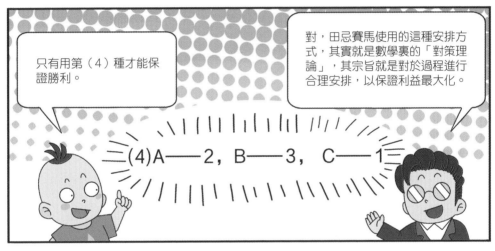

只有用第（4）種才能保證勝利。

對，田忌賽馬使用的這種安排方式，其實就是數學裏的「對策理論」，其宗旨就是對於過程進行合理安排，以保證利益最大化。

(4)A——2，B——3，C——1

不如我們也去比一比怎麼樣？

但我們不會賽馬啊，怎麼比？

我們可以運用田忌賽馬的知識去比！

大王，我們可否一戰？

你們？你們拿甚麼跟本王比？

我們來比放銅錢！

好，就讓本王看看你們有甚麼本事！

比賽只允許兩個人參加，兩人輪流往一個圓形桌面上放同樣大小的銅錢，每人每次只能放一枚，銅錢不許重疊和移動，誰放完最後一枚銅錢而使對方再也無處可放，誰就獲勝。

我先來！

那本王就派出齊國的能人來和你比一比！

嘩！我贏了！

李沖沖，你是怎麼做到的啊？

我只是把田忌賽馬做了一點延伸！

原來如此，你把第一枚放在圓桌中心，以後無論我放在哪裏，你只需要放在它圓心對稱的位置就可以了。

你們這些外來者還真有意思，要是你們能再贏我一局，我就請你們騎我最好的馬匹去周遊全國美景。

這次我會派出麾下最聰明的軍師上場！

那我們這邊也讓最聰明的羅大頭來參賽！

桌上放着 28 根火柴，兩位選手輪流取，每次取 1 至 3 根，誰取最後一根火柴誰就獲勝。

X28

沒問題！

請你先來吧。

羅大頭，你有信心獲勝嗎？那個軍師看起來好難對付哦。

那老夫就不客氣了。

哈哈！是我贏了！

我請對方先拿是有原因的！因為 28÷(1+3)＝7，我只要保證剩下的火柴數是 4 的倍數，我就能勝券在握！

原來如此！

本王麾下如此機智的軍師都被你們打敗了，本王也輸得心服口服。來！騎上最好的馬，隨本王周遊全國，享受齊國美食吧！

太好了！

多虧了田忌賽馬，我們學會了與對手鬥智時如何才能巧妙獲勝的方法。

17. 狄青的勝仗 ——
變可能為一定

阿柳博士和羅大頭三人玩扔骰子遊戲。

阿柳博士,如果我們扔出來的數字不小於3,你就帶我們坐時光機去古代玩好嗎?

可以。

是6!可以去古代玩了!

走吧。

幾人坐着時光機來到古代,剛下時光機,就聽見一陣陣歎息。幾人跟着聲音走過去就看見一個穿着戰甲的男人站在河邊唉聲歎氣。

叔叔,這麼晚怎麼還不睡覺,在這裏歎氣做甚麼呢?

怎麼睡得着呀!敵人多次侵犯我大宋,我方將士多次戰敗,士氣低迷。明天又要出兵打仗了,可士氣不振怎麼出兵呀?

你是大宋的將軍？難道是大將軍狄青？

你認識我？

這兩個小朋友很喜歡你呢！

狄青將軍，我叫羅大頭，很崇拜你呢！

可是你們崇拜的我，現在都不知道怎麼去振奮將士們的士氣。這崇拜有何用處？

你這麼厲害，一定會打勝仗的！

軍隊作戰，光我一個人厲害是沒有用的呀！必須所有將士一條心才能勝利。

將士們沒有信心就是怕明天的戰事會像以前一樣輸，我們要想想怎麼才能讓他們相信明天他們一定會贏。

阿柳博士，有沒有辦法幫狄青將軍鼓舞士氣呢？

除非是神仙顯靈，將士們才相信明天一定會贏吧！

沒有神仙，我們可以假裝神仙顯靈呀！

你怎麼做才能假裝神仙顯靈呀？

可以學習陳勝在魚腹藏丹書。

大楚興
陳勝王

你想像陳勝一樣，將會勝利的紙條放進魚肚子裏，讓將士們相信明天一定會勝利？但現在到哪裏找魚呢？

那我們換一個方法，可是用甚麼好呢？

我帶了好多遊戲幣，有用嗎？

太好了，我們可以扔遊戲幣！正面朝上就一定會勝！

嘩！

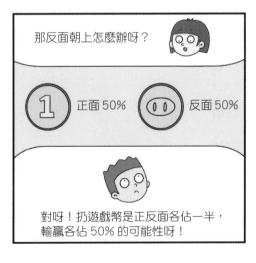

那反面朝上怎麼辦呀？

正面 50%　　反面 50%

對呀！扔遊戲幣是正反面各佔一半，輸贏各佔 50% 的可能性呀！

那我們就要想辦法，怎麼把 50% 的可能換成 100% 的一定呀！

可是遊戲幣有兩面，要一定是正面朝上，那真要找神仙了！

如果遊戲幣兩面都是正面就好了！

也不是不可以呀！

我是遊戲幣精靈，當然會說話了！你們想讓我兩面全部變成正面？

你們用的這個幣，大宋也沒有呀！

你竟然會說話？

那可以換成你們的銅錢呀！

我給它們施一個小魔法就可以了！

太好了，明天就可以通過扔銅錢的辦法，讓將士們相信他們一定會勝利的！

耶～

嘿嘿！

我這裏有 100 枚銅錢，每一枚銅錢代表一支分隊。我現在拋出所有銅錢，只要正面朝上，就代表這支分隊一定會勝利歸來！

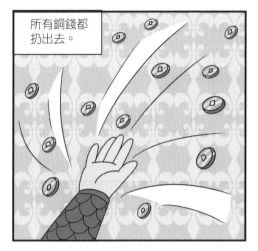

所有銅錢都扔出去。

報告將軍！100 枚銅錢全部都是正面朝上！

嘿嘿～

必勝！必勝！必勝！

看來我們軍隊的 100 支分隊明天都是必勝無疑的了！

衝！

羅大頭，你想的這個方法太棒了！

阿柳博士講過，事情發生一般有三種情況：可能、不可能、一定。可能的概率不確定是多少，不可能的概率是 0%，一定的概率是 100%。我只是讓不確定的概率變成了 100% 而已。

棒！

嘿嘿

最開始我們玩的骰子，我也是讓你們贏的可能性變得更大喲！

可是骰子上的數大於 3 和小於 3 的概率都是一樣的呀！

但是你們「不小於 3」的機會有 4 次，小於 3 的只有 2 次呀！

3　4　5　6

1　2

原來剛剛的骰子比賽，我們贏的可能性大一些呀！

這就像剛剛扔的銅錢，只有幾枚朝上讓人們相信必勝的可能性很小，可是 100 枚全部朝上，將士們就會全都相信一定會贏了！

沒錯。

正面　　　反面

羅大頭，你可真聰明，這一次勝利，你們功不可沒呀！

狄青將軍，以後你一定會每次都打勝仗的！再見！

再見～

18. 跟着分數船長去旅行

博士，我們所用的分數是在哪裏誕生的啊？

你們真的想知道嗎？

那穿好救生衣，跟我一起去看看吧。

嗚呀！下面是海！

前面有艘船！

你們好，我是分數船長，我可以帶你們去看分數是怎麼誕生的。

船居然離開海洋開到陸地上了！

開到森林裏了！

快看！那邊有兩個原始人。

他們好像在分果子吃。

咦？你們快看！他們這不是和朱栗分巧克力的樣子一樣嗎？

127

你才是原始人呢！

分數起源於分，在原始社會，人們集體勞動之後要平均分配果實和獵物，所以逐漸有了分數的概念。

船進入沙漠了，快看！是金字塔。

來，大家用望遠鏡看看能不能發現分數呢？

啊！那邊有很多埃及人！

這是在做甚麼啊？

看起來石頭有三份多一點，多出來的一點就分數表示吧。

鏗！

他們在建金字塔吧。就像搭積木一樣，要用精心設計過的石頭，才不容易倒塌。

目前發現分數最早出現於古埃及的《萊因德紙草書》。四千年前的古埃及人就已經掌握了分子為 1 的分數的一般記法，並把單分數看作是整數的倒數，這種認識以及這種分數的記法可是十分了不起的哦。我們現在，把這種分數叫作單位分數。

原來如此。

再去下一個地方看看吧。

我認得，這些是古代中國的建築！

難道這裏也隱藏着分數？莫非是城樓上飄着的旗子？

我覺得是守城的人！

分明是大家吃的大米才對！

其實在春秋時期的《左傳》中就規定了諸侯的都城大小：最大的不可超過周文王國都的三分之一，中等的不可超過五分之一，小的不可超過九分之一。秦始皇時期，曆法規定一年的天數為三百六十五又四分之一天，這就是中國早期的分數應用。

$\frac{1}{3}$

$\frac{1}{5}$

秦始皇？

飛到城市上空了!

那不是斐波那契嗎?

還真是!

在 13 世紀左右,意大利數學家斐波那契把分數推向了歐洲,並得到整個世界的認可!

孩子們,你們的終點站到啦!

阿柳博士,今天的收穫真大啊!

19. 強大的三角形

幾何王國的城堡這幾天風一吹就搖搖晃晃的，我們一起幫國王想想該怎麼辦吧。

點頭

但是要怎麼做才能解決呢？

啊！草叢裏有東西！

往哪兒跑！抓住你了！

嘿！

快出來，不要裝神弄鬼了！

135

真的呢！你們答對了！

這下知道你們都是甚麼三角形了！分別是直角、銳角、鈍角三角形！

沒錯！我們就是可以穩定城堡的三角形。

剛才是對你們的一個小考驗。

我也來考考你們。你們知道你們的三條邊之間有甚麼關係嗎？

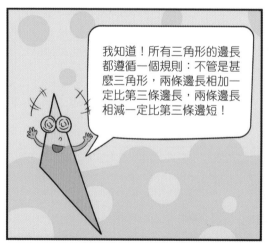

我知道！所有三角形的邊長都遵循一個規則：不管是甚麼三角形，兩條邊長相加一定比第三條邊長，兩條邊長相減一定比第三條邊短！

嘩哦！還真是這樣！

你們用我們拼一拼，可以拼出很多四邊形！

而且它們的內角和都是 360°喲！

這是一個鈍角三角形和銳角三角形拼成的梯形！

三角形的內角和都是 180°，你們看，這個梯形是由兩個三角形構成的，所以它的內角和為 180°×2＝360°。

原來如此！

那你說說它的內角和是多少呢？

你們看，沿長方形的對角畫一條線，就能把它分割成兩個直角三角形，所以它的內角和也是 360°！

還有很多著名的建築，比如金字塔、埃菲爾鐵塔、故宮都有三角形結構，它們不但美麗，還很堅固！

三角形可真是強大啊！

最後，我給大家出個謎語：九十多歲的老年人走路，猜一幾何圖形。你們可用普通話讀音想一想。

三腳（角）行（形）！

我也來出一個關於圖形的謎語：形狀像座山，穩定性最堅，三竿首尾連，學問不一般！

還是三角形！

20. 滿天都是三角形

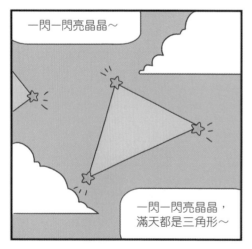

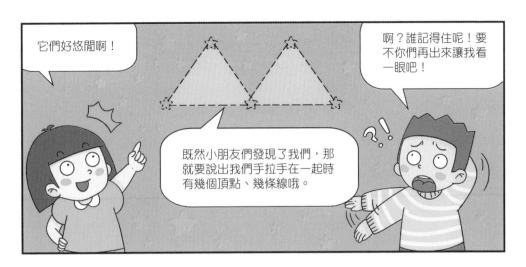

它們好悠閒啊！

啊？誰記得住呢！要不你們再出來讓我看一眼吧！

既然小朋友們發現了我們，那就要說出我們手拉手在一起時有幾個頂點、幾條線哦。

我知道！我知道！剛剛你們手拉手時有五個頂點和六條線！

朱栗小朋友答對了！獎勵朱栗小朋友飛上天和我們一起玩！

嘩！

喂！朱栗！上邊的風景怎麼樣啊？

上邊好不好玩啊？

上邊的風景好美啊！我在這裏好開心，你們也快點上來吧！

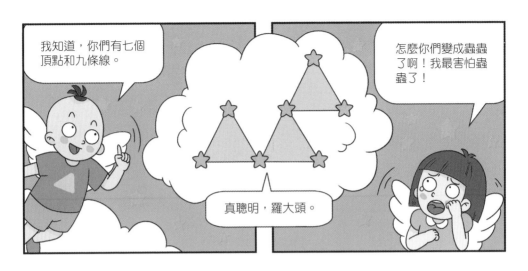

145

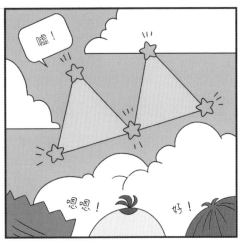

147

21. 四邊形大會

實驗室

阿柳博士，我最近認識了兩個遠房親戚，他們倆可有意思了。

長方形先生，你的遠房親戚是誰啊？

他們倆一個叫平行四邊形，還有一個叫梯形。

說不定你們還見過呢！

平行四邊形和梯形？

說起來，四邊形家族最近有個大會。不如我帶你們去見識見識？

好呀！去見新朋友了！

四邊形家族

借過！借過一下！我帶了客人來。

好多四邊形啊！

熱熱鬧鬧

149

啊！啊！是他啊！我見過他！

社區的大門似乎就是由很多個平行四邊形組成的。

正方形爺爺，好久不見。哎喲！

撲通

謝謝你，我真是太不穩定了。

沒事，沒事，畢竟我們不像三角形那樣，具有穩定性。今天又沒有帶對角線出來固定自己啊？

為甚麼帶了對角線，平行四邊形就能穩定了呢？

李沖沖小朋友，你看，把我的身體畫上一條對角線，就變成甚麼樣了？

變成了兩個三角形。

是啊，剛才正方形爺爺不是說了嘛，三角形具有穩定性，帶了對角線我們就能變得穩定了。

是的，對角線對於我們四邊形來說，就像是老人們用的拐杖一樣，可以幫助我們穩定地行走。

那要是把社區門上的平行四邊形都裝上對角線的話……

那社區門就會保持着你裝上對角線時的樣子，關不上也打不開了。

哈哈哈哈

哈哈

哈哈

還有個小傢伙呢？怎麼還沒來啊？

我也不知道，我今早起牀的時候，就不見梯形弟弟了。

讓一讓！讓一讓！

大老遠就聽到您老唸叨我了，半天不見您就想我了嗎？正方形爺爺！

足球框！

幹甚麼？我了解足球是件很奇怪的事嗎？

正方形爺爺，我遲到了，您大人有大量，就原諒我吧！

你啊！現在我算是知道，為甚麼梯形家讓你這個直角梯形過來了。

今天，我們正式給大家介紹我們家族的兩位新成員——平行四邊形和梯形。

眾所周知，四邊形是指不在同一條直線上的四條線段首尾相連形成的封閉圖形。那麼，我們的平行四邊形和梯形，有甚麼特點呢？讓我們有請三個小朋友來說說。

平行四邊形和梯形都是由四條邊圍成的，所以它們是四邊形家族成員。根據我的測量，平行四邊形的對邊長度相等，並且它們是平行的。

羅大頭說得對啊，我們長方形和正方形也具有這樣的特點。

正方形爺爺，你說這話我就不愛聽了！

你看我，只有一組對邊是平行的，而且這組對邊長度還不相等！

自己說出來了。

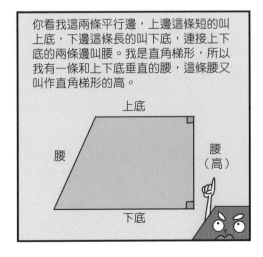

你看我這兩條平行邊，上邊這條短的叫上底，下邊這條長的叫下底，連接上下底的兩條邊叫腰。我是直角梯形，所以我有一條和上下底垂直的腰，這條腰又叫作直角梯形的高。

上底

腰

腰（高）

下底

小朋友們，麻煩你們測量一下我和長方形的內角和，再猜測一下平行四邊形和直角梯形的內角和。

您和長方形先生的四個角都是直角，那你們的內角和就是 $90° \times 4 = 360°$。

153

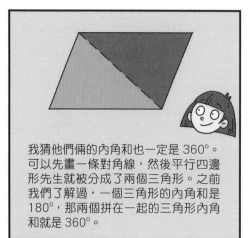

我猜他們倆的內角和也一定是 360°。可以先畫一條對角線，然後平行四邊形先生就被分成了兩個三角形。之前我們了解過，一個三角形的內角和是 180°，那兩個拼在一起的三角形內角和就是 360°。

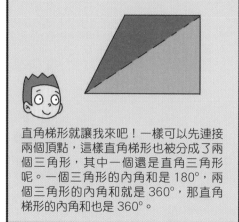

直角梯形就讓我來吧！一樣可以先連接兩個頂點，這樣直角梯形也被分成了兩個三角形，其中一個還是直角三角形呢。一個三角形的內角和是 180°，兩個三角形的內角和就是 360°，那直角梯形的內角和也是 360°。

其實不止正方形、長方形、平行四邊形和梯形，生活中所有的四邊形內角和都是 360°。

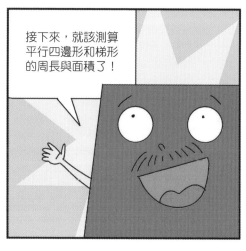

接下來，就該測算平行四邊形和梯形的周長與面積了！

周長簡單！剛才羅大頭發現了，平行四邊形先生的對邊平行且相等，所以：

平行四邊形先生的周長＝相鄰兩邊的和 ×2
梯形先生的周長＝上底＋下底＋兩腰

嘿嘿！我沒說錯吧？

可以啊，李沖沖。居然一下就把我的周長說出來了。

假如沿着平行四邊形先生的鈍角頂點往下作對邊的垂線，也就是高，就可以把平行四邊形先生分成兩部分，一部分是直角三角形，還有一部分是直角梯形。可以把這個直角三角形切下來，然後把兩條對邊貼在一起，就補成了一個長方形。

長方形的面積＝長 × 闊，把這個公式放在平行四邊形的身上就是底 × 高了。

到我了！到我了！羅大頭，你來說說怎麼求我的面積。

你會分身術嗎？

分……分身術？

就是再變一個一模一樣的你出來。我和朱栗的思路一樣，都是把你和平行四邊形轉化成長方形，不過她的思路是割補。

懂了！我當然會了，變！

沒想到真的會分身術！我都打算自己畫一個了……我要把你的分身倒過來，然後沿着你不是直角邊的腰貼在一起，沒問題吧？

這麼一來，兩個直角梯形也拼成了一個長方形。如果不是直角梯形，也可以像朱栗那樣切割一部分補成長方形。長方形的長就是上底加下底，闊就是高，所以長 × 闊＝（上底 ＋ 下底）× 高。鑒於你是由兩個一模一樣的梯形拼在一起的，因此：

梯形的面積＝（上底 ＋ 下底）× 高 ÷2

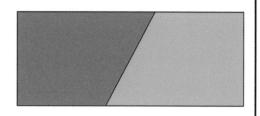

厲害啊！羅大頭！

所有的資料基本上統計完畢了，剩下的就請小朋友們填好這張表吧！

圖形	邊	角	周長	面積	穩定性
正方形	兩對對邊分別平行四邊相等	內角和 360° 四個角都是直角	邊長 ×4	邊長 × 邊長	差
長方形	兩對對邊分別平行且相等	內角和 360° 四個角都是直角	（長＋闊）×2	長 × 闊	差
平行四邊形	兩對對邊分別平行且相等	內角和 360° 對角相等	鄰邊的和×2	底 × 高	差
梯形	四條邊中只有一組對邊平行	內角和 360°	上底＋下底＋兩腰	（上底＋下底）× 高 ÷2	具有一定穩定性

現在填好表了，我們四邊形家族的隊伍又壯大啦！

小朋友們，你們知道這四種四邊形的關係以及它們在生活中有哪些應用嗎？

22. 動物創造的圖形世界
——奇妙的動物數學

小朋友們在一年級時了解到一些小動物會數數，他們對動物身上還有哪些數學才能產生了濃厚的興趣。

阿柳博士，這個手環有甚麼作用？

只要戴上這個手環，你就能變成想變成的動物，成為牠們中的一員，這樣你就可以安全地待在動物羣體之中不被趕出去，然後去發現牠們的數學才能！

我們再帶上記圖器去收集圖形！

他們在動物世界遇見的第一批動物是一羣準備南遷的大雁，於是他們變成大雁混入了大雁羣中。

我們小聲點，別被牠們發現了！

現在風向正好，起飛！

我也會飛了！

你們到前面去做甚麼？退到後面去排好隊形！

衝一

南遷之前我就說過了，一定要排好隊形！不能亂飛！你們兩個把我們的飛行口訣說說一遍。

我不記得了。

159

阿柳博士婉拒了蜜蜂頭頭的推薦，他們在離開蜂巢後的路上遇見了一隻烏龜，發現烏龜的殼上也有正六邊形的花紋。

烏龜殼上的紋路也因為是正六邊形，所以才沒有間隙吧！

點頭～

嘩一

我們已經收集了兩個圖形了，下一個該收集甚麼呢？

這隻小貓好可愛呀！小小的一團。

牠像個毛球一樣。

你們好吵呀！

你為甚麼要團成一個球睡覺呀？

只有把身體團成一個球，才能更暖和呀！

為甚麼團成球，會更暖和呢？

因為體積一樣的物體中球體的表面積最小，從而散發的熱量也最小。

160

我明白了，怪不得我冬天睡覺也喜歡把自己縮成一個球，原來是因為那樣更暖和！

嘩一

又收集了一個圖形！

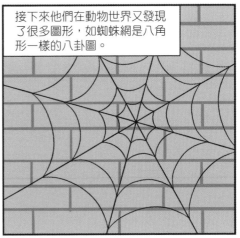

接下來他們在動物世界又發現了很多圖形，如蜘蛛網是八角形一樣的八卦圖。

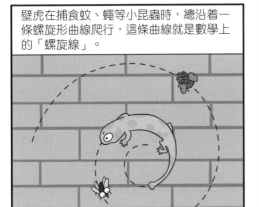

壁虎在捕食蚊、蠅等小昆蟲時，總沿着一條螺旋形曲線爬行，這條曲線就是數學上的「螺旋線」。

還有鼴鼠打地洞的時候，雖然我們看不見，但牠們總是 90° 轉彎。

小動物們真的很聰明，牠們在生活中會用到各種圖形。

其實人類創造出來的很多圖形和知識，不少是來自大自然生物的啟發。由生物的屬性產生靈感而獲得學問的方法叫「仿生學」。

23. 假如世界沒有統一 度量衡

電視裏說是秦始皇統一了度量衡。

為甚麼要統一度量衡呢？

因為沒有統一度量衡，世界將會產生很多麻煩和混亂。

有這麼誇張嗎？就個度量衡而已呀，長度、面積、體積和重量依然存在呀！

秦朝咸陽城

那我們去看看沒有統一度量衡的時代怎麼樣？

唰～

163

我想買那個可愛的小鼓！

小姑娘，買東西可是要用錢的，不是用紙。

我這就是錢呀！是紙幣！

一邊玩去，別打擾我賣東西。

拒絕

古代都是用銅幣或銀子，所以他們不認識我們的錢很正常。

失落

口好渴啊，老爺爺，可以給我一杯水喝嗎？

點頭

嘩！老爺爺，您這哪是一杯啊？

這就是一杯呀！

看到剛剛混亂的局面，你們現在該意識到統一度量衡的重要了吧？

那我們現在該怎麼辦呢？

我們去找秦始皇來統一度量衡。

皇宮

以前我們楚國的一畝地可比這大多啦！

我們的一畝地就這麼大，有甚麼問題嗎？

連皇宮裏都在吵嗎？

好像在為了分地的事情爭吵呢⋯⋯

因為統一六國之前每個國家的標準都不一樣吧。

統一度量衡真的不能等了，我們快去找秦始皇吧！

請皇上下令統一度量衡！

統不統一是我的事，甚麼時候輪到你們幾個小孩子來管我了？

那你們說說為甚麼很重要？

可是統一度量衡真的很重要！

皇上，不統一度量衡，我向您要一斤肉，您會給我多少呢？

來人，拿一斤豬肉來！

看好，這便是一斤！

可是有的國家的一斤是一整頭豬。

你們怎敢在此胡說八道！

24. 華氏雙法

週末，阿柳博士準備邀請幾位歷史上著名的數學家穿越過來吃飯，三個小傢伙決定親自做菜來款待貴客。

兩小時過去了……

按照你們現在的進度，中午客人們只能喝西北風了。

我馬上請一個專家過來指導指導你們吧。

好累！

我們是按照切菜、炒菜、煮湯、煮米飯的順序來的呀！

怎麼辦啊？

暈

小朋友，你們好！

是華羅庚爺爺！

嘩～

你們先切菜，最後煮米飯，那煮米飯的時候你們還能做甚麼呢？

我知道了！我們可以先煮米飯，在煮米飯的時候切菜、炒菜，就不用單獨留時間煮米飯了！

好像沒有甚麼能做的了。

沒錯，合理安排做事順序，可以使花費的時間最少。這也是數學研究的一個領域，屬於「統籌法」的一種。

做飯也能用到數學？統籌法是怎樣研究出來的呢？

生活中處處有數學，處處都能用到數學呀！

統籌法是中國現代數學之父華羅庚推廣的，它通過合理安排工作程序，從而大大提高工作效率。

現代數學之父

和統籌法一起的還有優選法，它可以將一些複雜的問題變得簡單。優選法和統籌法被稱為「華氏雙法」，都屬於數學中應用得很多的一個分支 —— 運籌學，廣泛應用於我們的生產和生活中。

優選法主要是用來做甚麼的？

優選法是研究如何採用最少的實驗次數，迅速找到最優方案的一種科學方法。利用優選法還能減少盲目生產和實驗的情況。比如著名的「郵遞員送信最短路線問題」就用到了優選法。

那我們可以用統籌法來安排煮飯和做菜的順序！這樣就可以大大節約時間了。

你們想好怎樣安排工作順序才最節約時間了嗎？

第一步先煮飯，在煮飯的時候可以燒水，燒水的時候準備要煮湯的菜，水燒好了就可以開始加菜煮湯了！煮米飯、煮湯就可以同時進行了！

在這個時間裏，我們還可以洗菜、切菜、洗盤子，最後再炒菜，菜炒好的時候，米飯和湯也都做好了！

嗯嗯！

煮米飯一共需要 30 分鐘，其中洗米 5 分鐘。煮湯需要 40 分鐘，其中燒水需要 10 分鐘。洗菜、切菜一共需要 10 分鐘，洗盤子需要 5 分鐘，炒菜需要 10 分鐘。

我們有三個人，李沖沖煮米飯，朱栗燒水煮湯，我就開始洗菜、切菜。李沖沖煮了飯之後，就可以開始洗盤子；我切好菜之後，朱栗可以加菜煮湯，同時我開始炒菜。這樣我們只需要 40 分鐘就可以做完所有的事！

① 30 分鐘

② 40 分鐘

③ 10 分鐘

④ 10 分鐘

非常好！

太棒了！中午的宴會可以準時開始啦！

173

25. 阿基米德

177

最初，阿基米德對這個問題無計可施。有一天，他在家洗澡，當他坐進澡盆裏時看到水往外溢，突然想到可以用測固體在水中排水量的辦法來確定皇冠的體積。

反正也想不出來，泡個澡放鬆放鬆吧。

哎，洗澡水為甚麼會溢出去呢？

溢出去……

我想到了！

首先要一盆水。

先把皇冠放進去，測量它的排水體積。再把和皇冠同等重量的純金放進去，看看它們的排水體積是否一樣！一樣的話皇冠就是純金的啦。

我要把「物體在液體中減輕的重量＝排去液體的重量」寫進我的《論浮體》裏，就叫它「阿基米德原理」好了。

我的數學奇趣世界

在這裏寫下關於數學的奇思妙想吧。